JEUNESSE

Mon prof est une
SORCIÈRE

roman

De la même auteure chez Québec Amérique

Jeunesse
SÉRIE FLAVIE
Une histoire tirée par la queue, coll. Bilbo, 1999.
Une histoire du tonnerre, coll. Bilbo, 2000.
Une histoire à dormir debout, coll. Bilbo, 2001.
Une histoire tout feu tout flamme, coll. Bilbo, 2002.

Mon prof est une
SORCIÈRE

ÉLAINE TURGEON

ILLUSTRATIONS : MARIE-CLAUDE FAVREAU

QUÉBEC AMÉRIQUE jeunesse

Données de catalogage avant publication (Canada)

Turgeon, Élaine
Mon prof est une sorcière
(Bilbo ; 137)
ISBN 2-7644-0368-2
I. Favreau, Marie-Claude. II. Titre. III. Collection : Bilbo jeunesse ; 137.
PS8589.U697M66 2004   jC843'.54   C2004-941205-1
PS9589.U697M66 2004

| | Conseil des Arts | Canada Council |
| | du Canada | for the Arts |

Nous reconnaissons l'aide financière du gouvernement du Canada
par l'entremise du Programme d'aide au développement de l'industrie
de l'édition (PADIÉ) pour nos activités d'édition.

Gouvernement du Québec – Programme de crédit d'impôt pour
l'édition de livres – Gestion SODEC.

Les Éditions Québec Amérique bénéficient du programme de
subvention globale du Conseil des Arts du Canada. Elles tiennent
également à remercier la SODEC pour son appui financier.

Québec Amérique
329, rue de la Commune Ouest, 3e étage
Montréal (Québec) H2Y 2E1
Téléphone : (514) 499-3000, télécopieur : (514) 499-3010

Dépôt légal : 3e trimestre 2004
Bibliothèque nationale du Québec
Bibliothèque nationale du Canada

Révision linguistique : Diane Martin et Danièle Marcoux
Mise en pages : Andréa Joseph [PAGEXPRESS]

AVERTISSEMENT
DE L'AUTEURE

Il y a des sorcières dans toutes les écoles. Certaines sont très gentilles, d'autres le sont moins. Toutefois, aucune n'est dangereuse, à moins que vous ne lui écrasiez volontairement les doigts avec un tracteur ou que vous ne sautiez en rond sur votre pupitre, dans le sens contraire des aiguilles d'une montre, en chantant le Ô *Canada* en chinois*. Je le sais, j'en ai déjà été une !

---

* N'essayez pas de le faire ; ça donne très mal au cœur, en plus de faire sortir le côté méchant de votre sorcière... heu... je veux dire de votre professeur.

À une petite fée qui vient
de se poser sur terre

1

VRAI OU FAUX ?

Vous est-il déjà arrivé d'imaginer des choses qui n'existent pas ? de croire qu'une personne n'est pas ce qu'elle prétend être ? Et d'y croire tellement fort que vous n'arrivez plus à distinguer le vrai du faux ? Moi, ça m'arrive tout le temps. Ce n'est pas de ma faute : partout où je vais, les gens ont un petit quelque chose qui me fait douter de leur identité réelle.

À mon école, par exemple. Je trouve que mon directeur a toutes les caractéristiques d'un extraterrestre, la secrétaire ressemble à s'y

méprendre à l'abominable homme des neiges et je ne vous parle même pas de l'hygiéniste dentaire qui est le portrait tout craché de la fée des dents !

Mais ça, ce n'est rien, car je soupçonne mon prof d'être une sorcière. Une vraie ! Et le pire, c'est que personne ne semble s'en rendre compte. Personne à part moi !

2

IL FAUT ME CROIRE

Ce n'est pas la première fois que j'ai des doutes sur la réelle identité d'une personne. L'année dernière, j'ai pris le facteur pour un espion et le brigadier scolaire pour un évadé de prison... Toute la classe a ri de moi durant des mois.

Mais, cette fois, j'ai l'intuition que mes soupçons vont se confirmer, foi de Philippe Falardeau. D'ailleurs, je pense que je vais garder mes informations secrètes jusqu'à ce que j'aie assez de preuves. Comme ça, quand j'exposerai la vérité au grand jour, personne ne pourra nier l'évidence et, surtout, personne ne pourra rire de moi.

J'ai commencé à douter de la vraie nature de mon prof en septembre. Au début, ce n'était que des petits détails, mais avec le temps les preuves ont commencé à s'accumuler. D'abord, elle s'appelle Samantha. Vous ne trouvez pas que ça ressemble à un nom de sorcière, vous ? Ensuite, elle a les cheveux et les yeux noirs. Bon, vous me direz que jusque-là il n'y a rien de plus normal, mais attendez ! Elle s'habille *toujours* en noir. Elle porte des souliers noirs, des bas noirs, des robes noires, des manteaux noirs, des foulards noirs, des gants noirs et des chapeaux noirs ! Elle a même un chat noir. Il s'appelle Gervaise.

Bon, je sais, vous allez me dire que ça ne sonne pas vraiment comme un nom de chat de sorcière, que Gargamelle ou Lucifer aurait mieux fait l'affaire, mais croyez-moi, ce matou a toutes les caractéristiques d'un vrai chat de sorcière. D'abord il est noir, ensuite, heu… il est noir. Vous ai-je dit qu'il était totalement noir ?

Il y a plein de photos de lui sur le bureau de Samantha. Sur chacune d'elles, on voit Gervaise, allongé dans un fauteuil noir ou sur un tapis noir ou un coussin noir ou n'importe quoi d'autre de noir. En fait, comme il est noir, on ne distingue que deux yeux jaunes perçants qui tentent de vous hypnotiser. Brrr…

Je vous l'avais dit! Vous commencez à me croire, vous aussi?

3

Un petit tour
de balai

La semaine dernière, au retour de la récréation, j'ai surpris mon prof avec un balai à la main. Vous pensez peut-être qu'il n'y a rien d'étrange là-dedans, mais la fenêtre était ouverte, comme si Samantha était allée faire un petit tour de balai pendant la récréation et qu'elle en revenait tout juste.

Quand je suis entré dans la classe, elle a rangé son balai dans l'armoire, en faisant mine de rien, et elle m'a souri. Je suis resté là, la bouche grande ouverte, incapable de prononcer un seul mot. Mon cœur battait dans ma poitrine comme un régiment de tambours et clairons.

— Ça va, Philippe ?

— Heu… Oui. Oui. Ça va, ai-je bredouillé en essayant de me rendre à ma place sans faire une crise cardiaque.

Ça m'a pris un bon moment avant de réussir à me calmer. Je n'arrêtais pas de l'imaginer en train de voler au-dessus de la ville. Peut-être qu'elle venait se poser sur le rebord de nos fenêtres de chambre, la nuit, pour nous jeter des sorts, à nous, ses pauvres élèves sans défense ? Comment se fait-il que

la commission scolaire engage des sorcières comme professeures? Et le ministère de l'Éducation, que fait-il donc? Pourquoi personne n'a encore pensé à inventer un test de dépistage de sorcières au moment de l'embauche? Si je ne m'étais pas retenu, je serais immédiatement descendu dans la rue pour manifester et alerter les journalistes, mais je me suis rappelé que je devais d'abord accumuler des preuves. J'ai donc résolu de poursuivre mon enquête avant d'agir.

J'ai attendu le bon moment pour aller inspecter le mystérieux balai de Samantha. Une opportunité s'est présentée le jour même, après l'école. C'est moi le responsable du nettoyage des brosses à tableau. J'ai donc profité du fait que j'étais seul dans la classe pour examiner le balai en question. Il avait l'air tout ce qu'il y a de plus normal. J'ai eu beau l'enfourcher, lui donner l'ordre de s'envoler, essayer toutes les formules magiques que je connaissais, en inventer de nouvelles : rien à faire.

Le balai s'obstinait à refuser de voler. Je me suis donc dit que je devais espionner Samantha pour entendre SA formule magique. Il n'y avait pas d'autre solution. En plus, c'est le genre de détails dont les journaux raffolent. Je voyais déjà la première page : « La formule magique des balais de sorcière enfin dévoilée : vous n'aurez plus jamais à faire le ménage ! »

4

ABRACADABRI, ABRACADABRA !

Je n'ai même pas eu besoin de l'espionner. Le lendemain, elle nous a annoncé que notre prochain thème de classe serait l'Halloween. Et devinez quoi? Le premier projet qu'elle nous a proposé était d'inventer des formules magiques! Pas de doute, c'est vraiment une sorcière: elle lit dans mes pensées.

Je me suis dit que j'allais la déjouer en pensant à autre chose. J'ai passé les minutes suivantes à essayer d'imaginer des situations qui n'avaient rien, mais absolument rien à voir avec des formules magiques. Par exemple, j'ai pensé très fort à mon père, Rémi, en train de faire du ski sur une montagne de spaghettis. *Abracadabri, poils de souris, abracadabra, poils de rats !*

J'ai ensuite essayé d'imaginer un joueur de bingo en train de danser le tango. *Abracadabro, poils de chameaux, abracadabra, poils de chats!* Pour finir, j'ai concentré toutes mes énergies à visualiser ma sœur, Lucette, dansant la claquette sur une mobylette. *Abracadabrette, poils de moufettes, abracadabra, poils de chinchillas!*

Rien à faire, tout devenait une formule magique. C'était comme si Samantha avait pris possession de mon esprit et transformait toutes mes pensées en formules magiques. Résultat : j'ai terminé l'avant-midi épuisé et pas plus avancé que la veille... abraca-dabreille !

5

BRRR...

Le lendemain, quand nous sommes arrivés en classe, Samantha nous a annoncé qu'elle allait nous lire une histoire. Elle nous a invités à nous asseoir par terre, près d'elle. Moi, j'ai tout de suite flairé le danger et je me suis placé à un bras de distance au moins de l'élève le plus éloigné de Samantha. On ne sait jamais ce qui peut passer par la tête d'une sorcière lorsqu'elle a un petit creux... Les élèves qui étaient assis à ses pieds n'avaient aucune idée du risque qu'ils couraient, (un bras est si vite arraché, une

oreille si vite croquée), mais je ne
pouvais rien dire. Pas encore.

De son grand sac noir, elle a
sorti un petit livre habillé de cuir
noir. Il était couvert de poussière
et dégageait une odeur de vieille
mitaine de laine mouillée oubliée
dans le fond d'un casier. Pour
mettre un peu d'ambiance, Samantha avait allumé des bougies et

éteint les lumières. Évidemment,
ça ne m'a pas trop rassuré. Et si
elle profitait de ce moment pour
nous ensorceler et faire de nous
des zombis pour l'éternité? Je me
sentais aussi en sécurité qu'un
biscuit triple chocolat parmi un
groupe de gros mangeurs ano-
nymes. Dans un silence de mort,

43

Samantha a commencé sa lecture :

« Il y a plusieurs milliers d'années, en Europe, vivait un peuple que l'on appelait les Celtes. Les Celtes avaient alors un calendrier différent de celui que nous utilisons aujourd'hui. La date du 31 octobre signifiait pour eux la fin d'une année et le début d'une nouvelle. Les gens croyaient alors que l'esprit des morts revenait visiter les vivants durant la nuit du 31 octobre au 1er novembre. »

Samantha a posé ses yeux noirs sur moi, à ce moment précis. Brrr… D'une voix caverneuse, elle a poursuivi :

« Pour repousser les esprits, les Celtes se déguisaient en personnages terrifiants et éclairaient l'entrée de leur maison avec des lanternes aux visages grimaçants qu'ils sculptaient dans des légumes. Avec le temps, les gens ont cessé de croire aux esprits, mais certaines habitudes sont restées, comme celles de se déguiser en personnages effrayants le dernier soir du mois d'octobre et de décorer les maisons avec des citrouilles illuminées. L'Halloween est aujourd'hui une fête pour les enfants. C'est pourquoi, le 31 octobre, les fantômes, sorcières et autres monstres sillonnent les rues à la recherche de bonbons. »

En prononçant le mot *sorcières*, Samantha m'a adressé un clin d'œil. Je sais, je sais, vous allez encore me dire que j'ai imaginé ça, mais je l'ai vraiment vu! D'ailleurs, il n'y a pas que ça. Plus je la regarde et plus il me semble que son nez devient crochu. Vous ne trouvez pas?

6

BAVE DE CRAPAUDS ET SANG DE SANGSUES

La semaine suivante, j'ai aperçu Samantha en train de décharger une grande marmite de sa voiture. Oui, oui, vous avez bien lu : une marmite, comme dans marmite de sorcière, comme dans bave de crapauds et sang de sangsues, comme dans potions magiques et filtres d'envoûtement.

Et vous savez quoi ? Samantha a eu le culot d'emporter cette marmite dans la classe. Elle ne se cache même plus ! Elle nous a même dit que ce chaudron avait appartenu à son arrière-arrière-arrière-arrière-arrière-arrièregrand-mère. Vous voyez, elles sont sorcières de mère en fille depuis des générations ! Il faut que je prenne des notes pour les journalistes.

Comme elle a dû lire dans mes pensées qu'elle venait de me fournir une preuve, Samantha a tenté de se rattraper en prétendant que sa famille utilisait cette marmite pour faire des confitures. Vous croyez que je l'ai crue ?

— De la confiture de crapauds ? De la gelée de vers de terre ? De la compote de bave de mulots ? ai-je crié.

Toute la classe m'a dévisagé avec un drôle d'air. J'ai regretté mes paroles et avalé ma salive en souhaitant soudain devenir aussi invisible qu'un fantôme.

— Tiens, tiens ! s'est exclamé mon prof. On dirait que Philippe me prend pour une sorcière !

Tout le monde s'est mis à rire dans la classe et Samantha a sauté sur l'occasion pour nous annoncer qu'elle voulait nous faire composer, devinez quoi? des recettes de sorcières... Elle nous a même demandé d'imaginer un menu de banquet pour un club de l'âge d'or de sorcières! Ça n'a aucun sens. Elle nous fait participer à ses histoires de sorcellerie et personne ne s'en rend compte... Il faut vraiment que j'agisse avant qu'il soit trop tard et qu'elle nous transforme tous en... Ho! et puis non, j'aime mieux ne pas y penser!

7

JUS DE CHAUSSETTES ET RAGOÛT DE CROTTES DE NEZ

Après nous avoir demandé d'énumérer tous les ingrédients les plus dégoûtants que nous connaissions, Samantha nous a placés en équipes de deux pour composer son menu de sorcières. Comme je suis chanceux, je me suis retrouvé avec le petit Marco qui n'arrête pas de se jouer dans le nez. Tout le monde lui dit

que c'est dégoûtant et qu'à son âge, ça ne se fait plus, mais il est comme ça, Marco. Pour élaborer un menu de sorcières, vous me direz que c'est assez inspirant…

Les menus composés étaient tous plus repoussants les uns que les autres. Il y avait des plats typiques de la gastronomie de sorcière comme la fameuse soupe de jus de chaussettes, le classique ragoût de crottes de nez (c'est Marco qui l'a trouvée, cette idée-là) ou le bifteck de chauves-souris et sa sauce à la verrue de crapauds. Sans oublier le traditionnel gâteau renversé à la toile d'araignée.

Samantha circulait dans la classe pour lire nos menus et je vous jure qu'elle salivait ! Je l'ai même vue faire des photocopies de nos menus. C'était sûrement pour les envoyer à ses consœurs

sorcières. Juste de penser aux ingrédients donnait envie à mon
estomac de faire une émeute. J'en
ai eu du mal à avaler mon sand-
wich à l'heure du dîner...

8

CHAUVES-SOURIS ET COMPAGNIE

Les semaines suivantes, les preuves se sont accumulées à une vitesse folle. D'abord, il y a eu une série de phénomènes étranges dans la classe. Le petit Marco est resté coincé avec son doigt dans son nez. Il a fallu l'envoyer à l'hôpital pour arriver à le décoincer. Si ça ne ressemble pas à un sort de sorcière, ça, je ne m'appelle pas Philippe Falardeau!

Ensuite, le matin du 28 octobre, Samantha était en train de nous lire une histoire de sorcières quand Éva Marois a étouffé un petit cri. Tout le monde s'est tourné vers elle. Éva a eu juste le temps de devenir blanche comme un drap et de pointer son index vers le plafond avant de tomber dans les pommes. On a levé nos têtes dans la direction qu'indiquait son doigt quelques secondes plus tôt. La panique s'est emparée de toute la classe quand on a vu la famille de chauves-souris qui dormait paisiblement au-dessus de nous. Je vous entends déjà protester que ce n'est encore qu'une coïncidence. Drôle de coïncidence, vous ne trouvez pas ?

Finalement, plus la date du 31 octobre approchait et plus Samantha semblait se transformer.

Ses cheveux noirs paraissaient
avoir étrangement allongé et ils
avaient une allure de plus en plus
hirsute. Un gros bouton poussait
sur son menton, et son nez avait
décidément l'air d'avoir été coincé
dans une porte. Quand j'ai réalisé
ça, j'ai décidé de prendre une
photo de Samantha pour les journalistes. Je me suis caché derrière
un arbre et je l'ai photographiée
pendant qu'elle surveillait les
élèves à la récréation. J'avais fait

des gros plans de son nez crochu et j'étais convaincu d'avoir une superbe prise de vue du bouton qui ornait son menton mais, évidemment, une fois le film développé, il n'y avait plus rien sur la pellicule. Bien sûr, j'ai pensé que cela pourrait aussi servir de preuve, car, c'est bien connu, les sorcières ne figurent jamais sur les photos, mais comme aucune des photos n'était réussie, personne ne voudrait me croire, encore une fois.

9

LE GRAND JOUR

Le jour de l'Halloween, tous les élèves de la classe se sont déguisés. Il y avait un bon nombre de fantômes, de princesses, de monstres de toutes sortes et, bien sûr, une quantité impressionnante de sorciers et de sorcières. Je me suis dit que c'était le moment où jamais de la démasquer. J'avais même noté le numéro de téléphone du journal de quartier pour les alerter à l'instant fatidique.

Nous étions tous dehors quand Samantha s'est présentée dans la cour pour venir nous chercher. Je sais que c'est dur à croire, mais

quand la porte s'est ouverte, un nuage de fumée blanche s'en est échappé. Évidemment, tout le monde était trop occupé à se prendre pour Dracula, Spiderman ou Monsieur Patate pour s'en rendre compte. Tout le monde, sauf moi.

Je me suis caché derrière des buissons pour l'observer sans être vu. À travers le nuage de fumée, Samantha est lentement apparue. Je sais, comme moi, vous pensiez qu'elle allait profiter de l'Halloween pour dévoiler sa véritable nature au monde entier et montrer enfin son vrai visage : nez crochu, verrues purulentes et ongles fourchus. Eh bien, non ! Elle s'était déguisée en... clown ! Oui, oui, vous avez bien lu.

Vous vous en doutez bien, malgré le fait que j'étais caché dans les buissons, Samantha m'a évidemment tout de suite repéré. C'est sûr, les sorcières, même déguisées en clowns, ont le regard très perçant. Comme si de rien n'était, elle m'a envoyé la main. Je lui ai répondu, la bouche grande ouverte, dans mon déguisement de brocoli. Elle est sûrement très fière d'elle et persuadée qu'elle m'a déjoué avec son déguisement de clown, mais on ne me trompe pas aussi facilement. Je sais que Samantha est bel et bien une sorcière.

10

CE N'EST PAS FINI !

J'ai passé le reste de la journée et la soirée à ruminer ma déception et à penser aux preuves accumulées. Même le déguisement de clown me donnait raison. Pensez-y une minute : le nez rouge servait à cacher son nez probablement crochu et couvert de verrues, la perruque frisée dissimulait certainement ses cheveux hirsutes et le maquillage blanc avait sûrement pour fonction de couvrir son teint vert et cireux…

Vous allez encore me dire que mon imagination me joue des tours ? que je n'ai pas suffisamment de preuves? Je le sais. Et le pire, c'est qu'il me faudra attendre un an avant de pouvoir alerter les médias. J'ai croisé Samantha à l'épicerie avec ma mère, le lendemain de l'Halloween. Et devinez quoi? Eh oui, disparus le nez crochu et le bouton sur le bout du menton! Elle s'était même fait couper les cheveux. Elle avait l'air tout ce qu'il y a de plus normal...

Le problème, c'est que, comme je serai dans une autre classe l'an prochain, il me sera encore plus difficile de la démasquer. Vraiment, je suis condamné à garder ce terrible secret pour moi tout seul. Une chance que vous êtes là !

▲ ▼ ▲

Mais attendez, ce n'est pas fini ! Le lundi suivant, en arrivant à l'école, j'étais en train de repenser à toute cette histoire quand j'ai croisé le concierge qui sifflotait l'air de *Mon beau sapin*. Sur le coup, ça m'a semblé normal. Je vous l'ai déjà dit, mon école est un peu spéciale.

Mais en y repensant, je me suis retourné pour observer le concierge plus attentivement. Un début de barbe blanche poussait sur ses joues. Il portait un grand sac d'ordures sur l'épaule et sous sa chemise rouge, une petite bedaine rebondissait par-dessus sa large ceinture noire. Qu'est-ce que je vous disais ! Ça ne vous fait pas penser à quelqu'un, vous ?

TEST DE DÉPISTAGE
DES SORCIÈRES

Pour savoir si ton prof est une sorcière, vérifie les éléments suivants :

- Fait-elle l'élevage d'araignées dans son casier ?

- Jette-t-elle des sorts à ses craies ?

- A-t-elle une collection de balais dans son placard ?

- Tricote-t-elle des toiles d'araignée en vous donnant des dictées ?

- Finalement, lit-elle des livres de sorcières à ses élèves ? (Si elle vient de te lire ce livre, pose-toi sérieusement des questions. À ta place, je me méfierais…)